阅读提示

两小千金妈妈（现居美国，喜欢给孩子读书的妈妈）

小朋友，你有没有觉得，分清左脚和右脚，是件好难的事呀？那就跟着大胡子苏斯伯伯一起迈开步子走走看，Left foot, left foot, right foot, right! 看看，是不是分清楚了呢？然后，我们再接着到这本书里去寻找更多的反义词和形容词吧。

白天走路的脚丫和晚上睡觉的脚丫，湿湿的脚丫和干干的脚丫，高高的脚丫和低低的脚丫，走在前面的脚丫和走在后面的脚丫……喔，好多的脚丫子啊！

这是一本超级简单的书，可是对于小孩子来说，这本书恰好用有趣的方式和押韵的语言教给他们最基本的认知概念。这里有反义词、形容词和不同的名词。对于刚刚开始阅读的孩子，没有什么比这样有趣的书，更能吸引他们的注意力了，继而，孩子们能够在不知不觉中提高独立阅读的能力。用寓教于乐来形容这本书，真是再恰当不过了。孩子读这本书的时候，学着画里的人物走路，或者大摇大摆，或者慢慢吞吞，或者手舞足蹈，或者一瘸一拐，有韵律地大声念出来，再加上肢体的运动，这就能从不同的角度帮助孩子将那些词汇深深地刻印在脑海中。

读完这本书，小朋友，我们的游戏还没有结束哦，你们一定知道了，这本书不光告诉我们很多词汇，而且也是一本数数书呢。我们来从头数一数，这本书里一共画了多少只脚丫子？慢着慢着，我们还可以再想想看，什么样的脚丫子没有写出来呢？还有还有，我们当然还可以画一本自己的"脚丫子"书啊！

还等什么，现在就开始吧！

The FOOT BOOK

千奇百怪的脚

[美] Dr. Seuss 图文

李育超 译

By
Dr. Seuss

中国出版集团
中国对外翻译出版公司

图书在版编目（CIP）数据

千奇百怪的脚：英汉对照／（美）苏斯编绘；
李育超译．—北京：中国对外翻译出版公司，2009.1
（苏斯博士双语经典）
ISBN 978-7-5001-2026-1
I.千… II.①苏…②李… III.①英语—汉语—对照读物
②童话—美国—现代　IV.H319.4：I
中国版本图书馆CIP数据核字（2008）第190837号

（著作权合同登记：图字01-2008-5898号）

出版发行／中国对外翻译出版公司
地　　址／北京市西城区车公庄大街甲4号物华大厦六层
电　　话／(010)68359376　68359303　68359101　68357937
邮　　编／100044
传　　真／(010)68357870
电子邮箱／book@ctpc.com.cn
网　　址／http://www.ctpc.com.cn

总 经 理／林国夫
出版策划／张高里
策划编辑／李育超
版权联络／李育超
责任编辑／蔡嵘　丁川
排　　版／北京志盛嘉印务公司
印　　刷／北京画中画印刷有限公司
经　　销／新华书店

规　　格／787×1092毫米　1/16
印　　张／2.25
字　　数／20千字
版　　次／2009年1月第一版
印　　次／2015年2月第6次

ISBN 978-7-5001-2026-1 定价：18.00元

Left foot
Left foot

Right foot
Right

左脚　左脚

右脚　右边

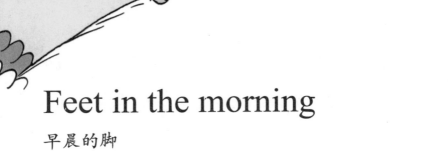

Feet in the morning

早晨的脚

Feet at night

夜晚的脚

Left foot

左脚

Left foot

左脚

Left foot

左脚

Right

右边

Wet foot

湿淋淋的脚

Dry foot

干爽爽的脚

High foot

高处的脚

Low foot

低处的脚

Front feet

前脚

Back feet
后脚

Red feet
红色的脚

Black feet
黑色的脚

Left foot

左脚

Right foot

右脚

Feet

脚

Feet

脚

Feet

脚

How many, many
feet you meet.

你碰上了多少只脚啊！

Slow feet

慢吞吞的脚

Quick feet

急匆匆的脚

Trick feet

耍把戏的脚

Sick feet

受伤的脚

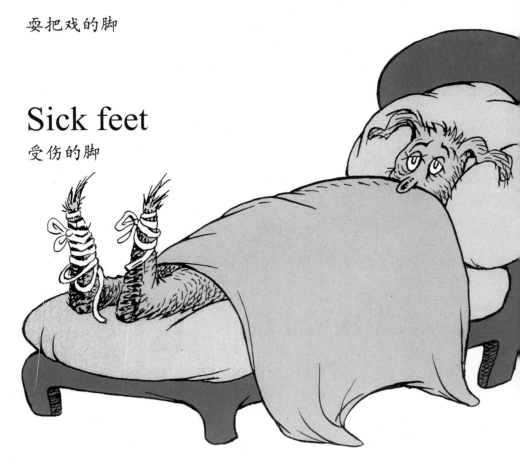

Up feet

向上攀爬的脚

Down feet

向下疾走的脚

Here come clown feet.

这儿走来了小丑的脚。

Small feet

小小的脚

Big feet

大大的脚

Here come pig feet.

这儿又来了猪的脚。

His feet

他的脚

Her feet

她的脚

Fuzzy fur feet

毛茸茸的脚

In the house, and on the street,

在屋子里，在大街上，

how many, many
feet you meet.

你能遇上多少只脚啊！

Up in the air feet

倒立在空中的脚

Over a chair feet

飞越椅子的脚

More and more feet

越来越多的脚

Twenty-four feet

二十四只脚

Here come
more and more...........

走过来的脚越来越多……

.......and **more** feet!

……越来越多！

Left foot.

左脚，

Right foot.

右脚，

Feet. Feet. Feet.

脚，脚，脚。

Oh, how many feet you meet!

哇，你碰上了多少只脚啊！